Henri J. M. Nouwen

CON LAS MANOS ABIERTAS

Fotografías: Jean-Claude Lejeune,
George R. Merrill y Marie Antoinette Parisio

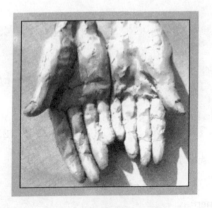

Editorial LUMEN
Viamonte 1674
(C1055ABF) Buenos Aires
☎ 4373-1414 (líneas rotativas) Fax (54-11) 4375-0453
E-mail: editorial@lumen.com.ar
República Argentina

Colección **Destellos**

Título original:
With Open Hands.
© 1995 by Ave Maria Press, Inc., Notre Dame, EE. UU.

Traducción: Vanina Cúccaro
Supervisión: S. Díaz Terán y Pablo Valle

3.ª Edición

ISBN 950-724-822-6

La escultura "Manos abiertas" de la tapa es de Suzanne M. Young.

Fotografías:

Jean-Claude Lejeune: 10, 16, 20, 23, 27, 33, 38, 43, 45, 50, 58, 63, 67, 70, 73, 81, 82, 92.

George R. Merrill: 13, 25, 26, 30, 36, 41, 42, 51, 54, 62, 86, 95, 96, 101, 106, 108, 110, 112, 113, 115, 120.

Marie Antoinette Parisio: 12, 17, 18, 29, 31, 32, 35, 40, 47, 56, 59, 64, 68, 75, 78, 79, 84, 90, 93, 97, 103, 104, 118, 121, 122, 123.

Ron van den Bosch: 15.

ÍNDICE

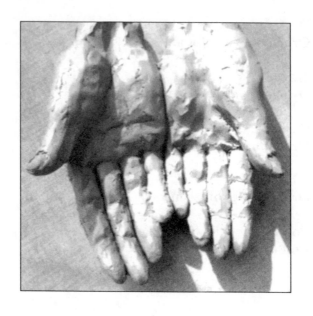

PREFACIO

En la periferia del circo

Las ideas reunidas en este libro surgieron lentamente. Se originaron en un intento de hablar en forma personal acerca de varias vivencias relativas a la oración. Sentía que no debía ponerme a escribir acerca de la oración sin haberme formulado esta pregunta: "¿Qué es lo que yo mismo encuentro en la oración?" Llegué a descubrir que la plegaria tenía alguna relación con el silencio, con la aceptación, con la esperanza, con la compasión e incluso con la crítica. Después, seleccioné cuidadosamente los conceptos y las imágenes que expresaran lo que yo había experimentado o lo que me gustaría haber vivenciado.

¿Pero no son mis propias experiencias tan personales como para mantenerlas ocultas? ¿O es posible que aquello que me resulta más personal, aquello que proclama la verdad en las profundidades de mi propio ser, también tenga sentido para otros? Últimamente, pienso que lo más personal es lo más universal. Sin embargo, para llegar a este punto, son necesarios amigos que nos ayuden a distinguir las sensaciones superficiales y privadas de las experiencias profundas y personales.

Esta convicción me llevó a invitar a veinticinco estudiantes de teología a constituir un grupo que empezara con mis propias afirmaciones vacilantes y ayudara a desarrollar una perspectiva común de lo que la oración verdaderamente implica. Mantuvimos siete reuniones, durante las cuales no hubo muchos debates ni discusiones, pero sí se compartieron muchas experiencias vividas. En forma gradual, el esquivo fenómeno que denominamos oración se transformó en una realidad tangible.

Las siguientes reflexiones, por lo tanto, no constituyen el trabajo de un único autor. Surgieron durante muchas horas de íntima y devota conversación. Espero que surtan efecto no sólo en la vida de aquellos que participaron de estas conversaciones, sino también en la vida de los lectores, que encuentren en este libro ciertos momentos de paz.

Utrecht, 1971

Casi veinticinco años después de escribir este prefacio, puedo afirmar que mis expectativas de que las palabras acerca de la oración volcadas en este libro surtieran efecto en la vida de la gente han quedado satisfechas en formas que yo ni siquiera hubiera imaginado. Un sinnúmero de hombres y mujeres de las más diversas edades, culturas y religiones me han hecho saber, en forma oral o escrita, que el movimiento de pasaje de los puños apretados a las manos abiertas, que se describe en este libro, los ha ayudado a comprender el sentido de las oraciones y, de hecho, los ha ayudado a rezar. Estoy profundamente agradecido por estas respuestas: especialmente, porque reafirman la misteriosa verdad de que, en el centro más íntimo de nuestros corazones, se puede encontrar algo universal. Cuando nosotros (veinticinco estudiantes y yo) nos sentábamos alrededor del escritorio de un aula, en 1970, en los Países Bajos, ninguno de nosotros podía haber previsto los alcances que tendrían nuestras conversaciones espirituales. No tengo idea de dónde se encuentran hoy estos estudiantes, pero ahora sé lo que entonces ignoraba: que el Espíritu de Dios estaba entre nosotros y nos permitía ser instrumento de gracia.

Desde la primera edición de este libro, han sucedido muchas cosas en la Iglesia y en la sociedad, pero el desafío de entrar en presencia de Dios con las manos abiertas sigue en pie, más urgente que nunca. Cuando pienso en mi propia lucha con la oración, me doy cuenta de que estas reflexiones, escritas hace más de dos décadas, me demandan hoy, como nunca antes, un cambio radical de mentalidad y de corazón. Y, una vez más, espero que esto sea válido también para mucha gente más.

Toronto, 1994.

INTRODUCCIÓN

Con los puños apretados

Rezar no es asunto fácil. Exige una relación en la cual dejas que otra persona llegue al centro mismo de tu persona, descubra aquello que preferirías dejar en penumbras y toque aquello que preferirías mantener intacto. ¿Por qué querrías verdaderamente hacerlo? Tal vez, dejarías que el otro atraviese tu umbral interno para ver o tocar algo, pero permitirle acceder al lugar que aloja lo más íntimo de tu vida es peligroso y necesita defensa.

La resistencia contra la oración es como la resistencia de los puños fuertemente apretados. Esta imagen muestra una tensión, un deseo de apegarse de manera cerrada a uno mismo, una codicia que revela temor. Esta actitud queda ejemplificada en la historia de una mujer mayor que fue llevada a una institución psiquiátrica. Estaba desenfrenada, tratando de golpear todo lo que tenía a la vista y asustando tanto a todo el mundo que los médicos tuvieron que sacar todo de su alcance. Pero había una pequeña moneda que la mujer sostenía dentro de su puño, sin soltarla. De hecho, fueron necesarias dos personas para forzarla a abrir esa mano apretada. Parecía que, junto con la moneda, se perdía a sí misma. Si la privaban de esa última posesión, ya no le quedaría nada y, por lo tanto, no sería nada. Ése era su temor.

Cuando se te invita a rezar, se te pide que abras tus puños fuertemente apretados y que dejes tu última moneda. ¿Pero quién quiere hacer eso? Una primera oración, por lo tanto, a menudo es una oración dolorosa, porque descubres que no quieres soltarte. Enseguida te aferras a lo que te resulta familiar (aun cuando no estés orgulloso de ello). Te descubres diciendo: "Yo, soy así. Me gustaría que fuera diferente, pero ahora no es posible. Soy así, y así tendré que dejarlo." Cuando hablas así, ya has dejado de creer que tu vida podría ser de otra manera. Ya has abandonado la ilusión de que una nueva vida pueda comenzar. Como no te atreves a colocar un signo de interrogación después de una pequeña porción de tu propia experiencia, con todas sus fijaciones, estás absorto en el destino de los hechos. Sientes que es más seguro aferrarse a un pasado doloroso que confiar en un futuro nuevo. Por eso llenas tus manos de pequeñas y frías monedas que no quieres entregar.

Todavía estás disgustado porque la gente no se mostró agradecida por algo que le diste; todavía sientes envidia de quienes están mejor pagos de lo que estás tú; todavía quieres vengarte de alguien que no te respetó; todavía estás decepcionado por no haber recibido una carta; todavía estás enojado porque alguien no te sonrió cuando pasaste. Pasaste por eso y seguiste viviendo con eso como si no te molestara... hasta el momento en que quieres rezar. Entonces, todo retorna: la amargura, el odio, la envidia, la decepción y el deseo de venganza. Pero estos sentimientos no están sólo allí; los empuñas en tus manos como si fueran tesoros que no quieres soltar. Te quedas revolcándote en esa antigua acidez como si no pudieras estar sin ella, como si, al abandonarla, perdieras tu propio ser.

El desapego, en general, se concibe como dejar perder aquello que es atractivo. Pero a veces también es necesario soltar aquello que es repulsivo. De hecho, puedes volverte apegado a fuerzas tan oscuras como el resentimiento y el odio. Siempre que busques desquite, te estarás aferrando a tu propio pasado. A veces, parece como si pudieras soltarte en medio de tu odio y tu venganza; entonces, te paras allí con tus puños confundidos, cerrados al otro que quiere reconciliarse.

Cuando quieres rezar, entonces, la primera pregunta es: ¿Cómo abro mis manos cerradas? Seguro que a través de la violencia, no. Tampoco por medio de una decisión forzada. Tal vez puedas encontrar tu propio modo de rezar escuchando atentamente las palabras que el ángel dirigió a Zacarías, a María, a los pastores y a las mujeres en la tumba: "No tengáis miedo." No tengáis miedo de Aquel que quiere ingresar a vuestro espacio más íntimo e invitaros a soltar aquello a lo que os aferráis con tanta ansiedad. No tengáis miedo de mostrar la fría moneda con la cual, de cualquier manera, compraríais tan poco. No tengáis miedo de ofrecer vuestro odio, vuestra amargura y vuestra decepción, a Aquel que es amor y nada más que amor. Incluso si sabéis que contáis con poco para mostrar, no temáis dejarlo ver.

A menudo, te descubrirás queriendo recibir a tu amado Dios cobrando una apariencia de belleza, cohibiendo todo lo sucio y lo malo, limpiando sólo una pequeña parte del camino que parezca adecuada. Pero ésa es una reacción temerosa, forzada y artificial. Tal reacción te agota y hace de tu oración un tormento.

Cada vez que te animas a soltar y entregar uno de esos numerosos temores, tu mano se abre un poco y tus palmas se despliegan en un gesto de recepción. Por supuesto que tienes que ser paciente, muy paciente, hasta que tus manos se abran por completo.

Es un largo viaje espiritual de fe, pues detrás de cada puño se esconde otro, y a veces el proceso parece no tener fin. Han sucedido muchas cosas en tu vida para dar origen a todos esos puños y, en cualquier momento del día o de la noche, puedes encontrarte apretando fuertemente los puños, por temor.

Tal vez alguien te diga: "Tienes que perdonarte." Pero eso no es posible. Lo que sí es posible es abrir las manos sin temor, para que Aquel que te ama pueda borrar tus pecados. Entonces, las monedas que creías indispensables para tu vida demuestran ser poco más que un polvo liviano que una suave brisa barrerá, dejando atrás nada más que una sonrisa o una risita ahogada. Entonces, sientes un poco de nueva libertad y rezar se transforma en un placer, una reacción espontánea frente al mundo y a la gente que te rodea. Entonces, rezar se vuelve una actividad que no requiere esfuerzos, inspirada y vital, o pacífica y tranquila. Cuando reconoces los momentos festivos y tranquilos como momentos de oraciones, entonces, en forma gradual, te das cuenta de que rezar es vivir.

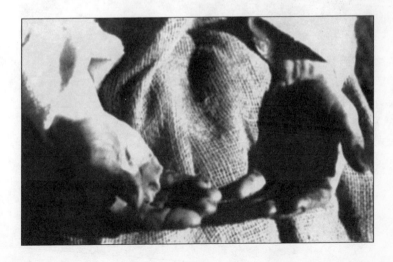

Querido Dios:

¡Me da tanto miedo abrir mis puños apretados!
¿Quién seré cuando no me quede nada
a lo que aferrarme?
¿Quién seré cuando me pare ante ti
con las manos vacías?
Por favor, ayúdame a abrir las manos
en forma gradual
y a descubrir que no soy aquello que poseo,
sino aquello que Tú quieres darme.
Y aquello que Tú quieres darme es amor,
amor incondicional y eterno.

Amén.

Pregunta para meditación:

¿Qué estoy sosteniendo fuertemente
en mis puños apretados?

UNO

Oración y silencio

Sabemos que existe alguna relación entre la oración y el silencio pero, si pensamos en el silencio en nuestras vidas, parece que no es siempre tranquilizador: el silencio también puede ser amenazante.

Un alumno, que había reflexionado profundamente acerca del tema del silencio en su vida, escribió:

El silencio es noche
y, así como hay noches
sin Luna y sin estrellas
en las cuales estás solo,
completamente solo,
cuando estás angustiado,
cuando te transformas en una nada
que nadie necesita,
así también hay silencios
que son amenazantes
porque no hay nada más que el silencio.
Aunque abras los oídos
y los ojos,
sigue sucediendo
sin esperanza ni fe.
Noche sin luz, sin esperanza;
estoy solo
en mi culpa
sin perdón,
sin amor.
Entonces, desesperadamente, busco amigos;
entonces, camino por las calles en busca de un cuerpo,
una señal,
un sonido,
y no encuentro nada.

Pero también hay noches
con estrellas,
con luna llena,
con la luz de una casa a la distancia,
y silencios que son pacíficos y reflexivos.
El ruido de un gorrión
en una enorme iglesia vacía
cuando mi corazón quiere cantar de júbilo,
cuando siento que no estoy solo,
cuando estoy esperando amigos
o recuerdo un par de palabras
de un poema que leí hace poco,
cuando me perdí en un avemaría.
O la lúgubre voz de un salmo cuando yo soy yo
y tú eres tú,
cuando no nos tememos mutuamente,
cuando le dejamos todas las palabras al ángel
que nos trajo el silencio
y la paz.

Así como hay dos noches, hay dos silencios: uno asusta y el otro pacifica. Para muchos, el silencio es amenazante: no saben qué hacer con él. Si dejan atrás el ruido de la ciudad y buscan un lugar donde no haya autos que pasen haciendo estruendo, ni barcos que hagan sonar sus sirenas, ni trenes rugiendo; donde no haya zumbidos ni radio o televisión, donde no haya CD ni cintas, sienten que todos sus cuerpos están dominados por una intensa falta de descanso. Se sienten como un pez tirado en tierra firme. Están desorientados. Hay gente que no puede estudiar sin un sólido muro de música a su alrededor. Si se los obliga a sentarse en una habitación sin una corriente constante de sonidos, se ponen muy nerviosos.

Por eso, para muchos de nosotros, el silencio se ha transformado en una amenaza. Hubo una época en que el silencio era normal, y mucho ruido nos molestaba. Pero hoy en día, el ruido es el régimen normal, y el silencio (por extraño que pueda parecer) se ha transformado en la molestia. No es difícil comprender que la gente que siente el silencio de esta manera tenga dificultades con la oración.

Nos hemos alienado del silencio. Si vamos a la playa o nos vamos de *picnic* al bosque, el *walkman* es a menudo nuestro compañero más importante. Parece que no podemos soportar el sonido del silencio.

El silencio está lleno de sonidos: el viento que murmura, las hojas que susurran, los pájaros que agitan las alas, las olas que acarician la orilla. E inclusive, si no es posible percibir esos sonidos, igual podemos oír nuestra propia respiración, tranquila, el movimiento de nuestras manos sobre nuestra piel, el sonido de nuestras gargantas al tragar y el golpeteo suave de nuestros pasos. Pero nos hemos vuelto sordos a esos sonidos del silencio.

Cuando se nos invita a trasladarnos de nuestro mundo ruidoso hacia este silencio lleno de sonidos, a menudo nos asustamos. Nos sentimos como niños que ven caerse las paredes de una casa y de repente se encuentran en un campo abierto, o nos sentimos como si se nos hubiera arrancado violentamente la ropa, o como pájaros expulsados de sus nidos. Nos empiezan a doler los oídos, porque falta el ruido familiar; y nuestros cuerpos se han acostumbrado a ese ruido, como si éste fuera una manta suave que nos mantiene calentitos. Nos volvemos como adictos que deben atravesar el doloroso proceso de abstinencia.

Pero aun más difícil que deshacerse de estos ruidos exteriores es el logro del silencio interior, un silencio del corazón. Parece que una persona que está atrapada en todo ese ruido, pierde contacto con el ser interior. Las preguntas que se formulan desde adentro quedan sin respuesta. Los sentimientos inseguros no se van, los deseos enmarañados no se ordenan, y las emociones confusas no se entienden. Todo lo que queda es un tumulto de sentimientos que nunca tuvieron la oportunidad de ser ordenados.

Es apenas sorprendente, por lo tanto, que cuando nos alejamos de todo el alboroto cotidiano, a menudo se pueda escuchar un nuevo sonido interior, que proviene de todos esos sentimientos caóticos que claman por atención. Entrar a una habitación en la que reina el silencio no nos trae automáticamente silencio interior. Cuando no hay a quien hablarle o a quien escuchar, puede surgir un debate interno: a menudo, más ruido que aquel del cual acabamos de escapar. Muchos problemas que no han sido resueltos reclaman atención; uno hace fuerza contra el otro; un reclamo se opone al anterior; todos luchan por ser escuchados. A veces nos quedamos sin fuerzas frente a muchos sentimientos retorcidos que no podemos desenredar.

Te lleva a preguntarte si la diversión que buscamos en las numerosas cosas por fuera de nosotros mismos no podría ser un intento de evitar una confrontación con aquello que está adentro. "¿Qué debería hacer una vez que haya terminado con toda mi tarea?" Esta pregunta lleva a muchos a huir de sí mismos y aferrarse pronto a cualquier cantidad de cosas que los hacen sentir como si todavía estuvieran ocupados. Es como si estuvieran diciendo: "¿Qué será de mí cuando ya no tenga más amigos con quienes hablar, ni música que escuchar, ni periódicos que leer, ni películas que ver?" La cuestión no es si podemos vivir sin amigos, o sin alimentar nuestros ojos y nuestros oídos con nuevas impresiones, pues evidentemente no podemos. La cuestión es si podemos soportar estar solos de vez en cuando, cerrar los ojos, dejar de lado con cuidado todo el surtido de ruidos, y sentarnos en calma y en silencio.

Estar en calma y en silencio contigo mismo no es lo mismo que dormir. De hecho, implica estar completamente consciente y seguir con atención cada movimiento que se produce en tu interior. Se requiere disciplina para reconocer como una tentación la necesidad de levantarse y salir nuevamente de buscar en otros sitios aquello que está cerca y a mano. Te brinda la libertad de pasear por tu propio patio interior y sacar las hojas y limpiar el camino, para poder encontrar sin dificultad la senda hacia tu corazón. Tal vez aparezcan el miedo y la incertidumbre cuando pises por primera vez este "terreno poco familiar," pero lentamente, y con seguridad, irás descubriendo un orden y una familiaridad que profundiza tu anhelo de estar como en casa.

Con esta nueva confianza, recuperamos nuestra propia vida nuevamente desde adentro. Junto con el nuevo conocimiento de nuestro "espacio interior", en el cual los sentimientos de amor y de odio, de ternura y de dolor, de perdón y de envidia, están separados, reforzados o modificados, allí aparece el poder de la mano amable. Ésta es la mano del jardinero que, con mucho cuidado, hace lugar para que crezca una nueva planta, y que no saca la mala hierba en forma demasiado atolondrada, sino que arranca sólo aquella que puede sofocar a la vida joven.

Bajo este régimen amable, podemos transformarnos una vez más en amos de nuestra propia casa. No sólo durante el día, sino también durante la noche. No sólo cuando estamos despiertos, sino también mientras dormimos. Pues aquel que posee el día, obtiene también la noche. Dormir ya no es una extraña oscuridad, sino una amigable cortina tras la cual los sueños siguen expresándose y enviando mensajes que pueden ser recibidos con agradecimiento. Las vías de nuestros sueños se vuelven tan confiables como las vías de nuestras horas de vigilia, y ya no hay necesidad de tener miedo.

Si no evitamos el silencio, todo esto se torna posible, pero no sencillo. El ruido proveniente de afuera sigue demandando nuestra atención, y el desasosiego proveniente de adentro sigue fomentando nuestra ansiedad. Muchos se sienten atrapados entre esta tentación y este temor. Como no pueden volverse hacia adentro, buscan la calma en los ruidos, aun sabiendo que nunca la encontrarán allí.

Pero, cuando accedes a este silencio, es como si hubieras recibido un regalo, un regalo "prometedor", en el verdadero sentido de la palabra. La promesa de este silencio es la posibilidad de que nazca una nueva vida. Es éste el silencio de la paz y la oración, porque te vuelve a llevar hacia Aquel que te guía. En este silencio, abandonas la sensación de ser manejado, y descubres que eres una persona capaz de ser ella misma, junto a los demás.

Entonces, te das cuenta de que puedes hacer muchas cosas, no en forma obligatoria, sino con libertad. Es el silencio del "pobre de espíritu", en el cual aprendes a ver tu vida en su perspectiva justa. En este silencio, las falsas pretensiones se esfuman, y puedes volver a ver el mundo con una cierta distancia y, en medio de todas tus preocupaciones, puedes rezar:

Querido Dios:

Habla suavemente en mi silencio.
Mientras los fuertes ruidos exteriores de mi entorno
y los fuertes ruidos interiores de mis temores
sigan manteniéndome lejos de ti,
ayúdame a confiar en que aún estás allí
incluso cuando yo no pueda oírte.
Dame oídos para escuchar tu suave vocecita diciendo:
"Ven a mí, tú que estás agobiado,
y yo te daré descanso...
pues soy amable y humilde de corazón."
Deja que esta hermosa voz me guíe.

Amén.

Pregunta para meditación:

¿Por qué yo evito el silencio?

DOS

Oración y aceptación

El profundo silencio nos lleva a darnos cuenta de que la oración es, sobre todo, aceptación. Cuando rezamos, estamos de pie con las manos abiertas al mundo. Sabemos que Dios se nos dará a conocer en la naturaleza que nos rodea, en la gente que conocemos, en las situaciones en las que participamos. Confiamos en que el mundo guarda dentro de sí el secreto de Dios, y esperamos que nos sea revelado. La oración crea esa apertura en la cual Dios se nos entrega. De hecho, Dios quiere que se lo admita en el corazón humano, que se lo reciba con las manos abiertas, y que se lo ame con el mismo amor con el que fuimos creados.

Esta apertura, sin embargo, no aparece simplemente por sí misma. Requiere el reconocimiento de que tienes limitaciones y eres dependiente, débil e, inclusive, pecador. Cada vez que rezas, profesas que no eres Dios ni lo quieres ser, que aún no has alcanzado tu objetivo, que nunca lo alcanzarás en esta vida, que permanentemente debes desplegar tus manos y esperar el regalo de la vida. Asumir esta actitud es complicado, pues te torna vulnerable.

La sabiduría del mundo es la sabiduría que dice: "Es mejor mantenerse firme, tener un buen dominio sobre lo que te pertenece aquí y ahora, y sostener lo que posees, contra los demás, que quieren arrebatártelo. Tienes que estar en guardia, para no caer en ninguna emboscada. Si no estás armado, si no muestras el puño y no gritas para obtener lo poco que necesitas (comida y refugio), estás simplemente pidiendo ser común y desamparado, y terminarás tratando de encontrar una mediocre satisfacción en una generosidad que nadie valora. ¡Abres tus manos pero muestras las uñas! La gente inteligente se mantiene alerta, con los músculos tensos y los puños apretados; miran de soslayo y están siempre preparados para un ataque inesperado."

Ésta es, a menudo, la apariencia de la vida interior de una persona. Si fomentas las ideas de paz, tienes que ser abierto y receptivo. ¿Pero puedes hacerlo, te atreves? La sospecha, la envidia, el odio, la venganza, el resentimiento y la ambición están allí, antes de que les hayas puesto siquiera un nombre. "¿Qué están tratando de hacer en realidad?" "¿Qué les pasa en verdad por la cabeza?" "No deben estar poniendo todas las cartas sobre la mesa." "Seguro que hay más para señalar que lo que se ve a simple vista." A menudo, estos sentimientos aparecen incluso antes de que se puedan formular los pensamientos. Algo muy adentro ya se ha ajustado: "¡Cuidado! Planifica tus tácticas y mantén las armas preparadas." Y así, las ideas de paz quedan lejos. Temes que sean demasiado peligrosas o impracticables. Piensas: "Quienes no están armados, tienen parte de la responsabilidad de su propia caída."

¿Cómo puedes esperar un don en este estado de ánimo? ¿Puedes aunque sólo sea imaginar que tu vida pudiera ser de otra manera? Sin duda, la oración presenta un problema tal, porque requiere una constante disposición a deponer las armas y liberarse de sentimientos que te hacen mantener una distancia de seguridad. Te exige vivir en la constante expectativa de que Dios, que todo lo renueva, te haga renacer.

Te transformas en una persona cuando eres capaz de mantenerte abierto a todos los dones que hay preparados para ti.

Dar puede convertirse simplemente en un medio de manipulación en el cual aquel que recibe un don se vuelve dependiente de la voluntad de aquel que lo entrega.

Cuando das, eres el dueño de la situación, puedes distribuir los bienes entre quienes crees que los merecen. Tienes control sobre tu medio circundante, y puedes disfrutar del poder que te dan tus posesiones.

La aceptación es algo más. Cuando aceptamos un don, un regalo, convocamos a otros a nuestro mundo, y estamos dispuestos a asignarles un lugar en nuestras propias vidas. Si ofrecemos regalos a nuestros amigos, esperamos que ellos les den un lugar en sus hogares. En definitiva, los regalos se convierten en regalos sólo una vez que son aceptados. Cuando los regalos son aceptados, adquieren un lugar en la vida de quien los recibe. Es comprensible que mucha gente quiera devolver un regalo lo antes posible, para de esta manera reestablecer el equilibrio, deshaciéndose de cualquier relación dependiente. A menudo vemos más negociación que aceptación. Muchos de nosotros, con frecuencia, nos sentimos incómodos con un regalo, porque no sabemos cómo devolverlo. "Me hace sentir obligado", solemos decir.

Tal vez el desafío bíblico reside precisamente en la invitación de aceptar un don por el cual no podemos dar nada a cambio. Porque el don es el aliento vital de Dios que el Espíritu derramó sobre nosotros a través de Jesúcristo. Este aliento vital nos libera de temores y nos da nuevo espacio donde vivir. Aquellos que viven devotamente están siempre preparados para recibir el aliento de Dios y para dejar que sus vidas se renueven y se desarrollen. Aquellos que nunca rezan, por el contrario, son como niños con asma: como tienen poco aliento, el mundo se consume ante ellos. Se arrastran a un rincón jadeando en busca de aire y están virtualmente en estado de agonía. Pero aquellos que rezan se abren a Dios y pueden respirar nuevamente con libertad. Se paran derechos, estiran sus manos y salen de sus rincones, con la libertad de moverse sin temor.

Cuando vivimos del aliento de Dios, podemos reconocer con placer que el mismo aliento que nos mantiene vivos es también fuente de vida de nuestros hermanos y hermanas. Este descubrimiento hace desaparecer nuestro temor al prójimo, hace deponer nuestras armas y nos trae una sonrisa a los labios. Cuando reconocemos el aliento de Dios en los demás, podemos dejar que entren en nuestras vidas y recibir los regalos que nos ofrecen.

La dificultad que esto presenta en nuestra época desemboca en esta confesión, no tan poco frecuente: "Aceptar algo me produce una sensación de dependencia. Esto es algo a lo que en general no estoy acostumbrado. Manejo mis propias cosas y estoy contento de poder hacerlo. Cuando recibo algo, no sé exactamente cómo manejarlo. Es como si ya no tuviera control sobre mi propia vida, y eso me hace sentir un poco incómodo. En verdad, es tonto decirlo, porque no dejo que los demás accedan a lo que yo mismo querría tener... no los dejo tener el placer de dar."

Pero, cuando nos enteramos de que alguien verdaderamente nos acepta por completo, queremos entregar todo lo que podemos y, a menudo, al entregar, descubrimos que tenemos mucho más de lo que creíamos.

En esta devota aceptación, no queda lugar para el prejuicio porque, en lugar de definir a los demás, los dejamos que aparezcan ante nosotros como siempre nuevos. Entonces, podemos hablarnos unos a los otros y compartir nuestras vidas de manera que hablemos de corazón a corazón. Un estudiante escribe: "Una buena conversación es un proceso en el cual le damos al otro la fuerza para seguir, para festejar juntos, para estar tristes juntos, y para inspirarnos mutuamente."

Rezar significa, sobre todo, ser acogedor con Dios, que es siempre nuevo, siempre diferente. Porque Dios es un Dios profundamente dinámico, con un corazón más grande que el nuestro. La abierta aceptación de la oración, frente a un Dios siempre renovado, nos torna libres. En la oración, estamos constantemente en camino, en peregrinación. En nuestro camino, nos encontramos con más y más personas que nos muestran algo del Dios que buscamos. Nunca sabremos con certeza si hemos alcanzado a Dios. Pero sí sabemos que Dios será siempre nuevo y que no hay razones para temer.

La oración nos da el coraje necesario para abrir nuestros brazos y dejarnos guiar. Una vez que Jesús le había encargado a Pedro que se ocupara de su gente, le dijo:

"En verdad, en verdad te digo:
cuando eras joven,
tú mismo te ceñías,
e ibas adonde querías;
pero cuando llegues a viejo,
extenderás tus manos
y otro te ceñirá
y te llevará adonde tú no quieras."
Jn 21, 18

El cuidado de los demás requiere de una aceptación cada vez mayor. Esta aceptación llevó a Jesús y a sus discípulos adonde no querían ir: hacia la cruz. Ése es también el camino de quienes rezan. Mientras eres joven, quieres tener todo en tus propias manos pero, una vez que maduras y abre tus manos en la oración, puedes dejarte guiar sin saber hacia dónde. Solamente sabes que la libertad que te trajo el aliento de Dios te llevará a una nueva vida, aun cuando la cruz sea la única señal que puedas ver.

Pero, para aquel que reza, hasta esa señal habrá perdido su carácter temeroso.

Querido Dios:

Deseo tanto tener control.
Quiero ser el dueño de mi propio destino.
Sin embargo, sé que dices:
"Déjame tomarte de la mano y guiarte.
Acepta mi amor
y confía en que te llevo a un lugar en el cual
los deseos más profundos de tu corazón
serán satisfechos."
Señor, abre mis manos para recibir
tu regalo de amor.

Amén.

Pregunta para meditación:

¿En qué sentido tengo miedo a la dependencia?

TRES

Oración y esperanza

En el silencio de la oración, puedes estirar las manos para abrazar la naturaleza, a Dios y a tus semejantes, los seres humanos. Esta aceptación implica no sólo que estás dispuesto a aceptar tus propias limitaciones, sino también que esperas la llegada de algo nuevo. Por esta razón, toda oración es una expresión de esperanza. Si no esperas nada del futuro, no puedes rezar. Entonces afirmas, junto con Bertolt Brecht:

"Tal como está, quedará.
Lo que queremos nunca llegará."

Si piensas de esta forma, la vida se mantiene inmóvil. Espiritualmente, estás muerto. Sólo puede haber vida y movimiento cuando dejas de aceptar las cosas tal como están ahora y miras hacia adelante, apuntando a aquello que todavía no se dio.

Sin embargo, cuando se trata de la oración, parece que pedimos más de lo que esperamos. Esto no es sorprendente, puesto que rezamos fundamentalmente cuando nos lo demandan circunstancias muy específicas y, a menudo, momentáneas. Cuando hay guerra, rezamos por la paz; cuando hay sequía, rezamos por la lluvia; cuando nos vamos de vacaciones, rezamos para que haya buen tiempo; cuando se acerca un examen, rezamos para aprobarlo; cuando nuestros amigos están enfermos, rezamos para que se recuperen; y, cuando se mueren, rezamos por un descanso eterno. Nuestra oración surge en la mitad de nuestras vidas, y se entrama con todo el resto de nuestras ocupaciones cotidianas. Lo que llena el corazón es lo que brota de la boca. Esto también es válido respecto de la oración.

Nuestros corazones están plagados de expectativas y deseos concretos y tangibles. Una madre espera que su hijo vuelva a casa temprano. Un padre espera obtener un ascenso. Un chico sueña con la chica que quiere, y una niña piensa en la bicicleta que le prometieron. A veces, nuestros pensamientos no van más allá de un par de horas, un par de días o un par de semanas por delante de nosotros; en raras ocasiones, se nos adelantan un par de años. Apenas nos podemos permitir pensar demasiado por adelantado, pues el mundo en que vivimos nos exige centralizar nuestra atención en el aquí y ahora. Si rezamos, y verdaderamente rezamos, prácticamente no podremos evadir el hecho de que nuestras preocupaciones del momento, grandes o pequeñas, llenan nuestra oración y a menudo no generan más que una larga lista de demandas.

A menudo, esta oración de petición es tratada con cierto desdén. A veces, la consideramos menos noble que una oración de acción de gracias y, con seguridad, menos noble que la oración de alabanza. Se supone que la oración de petición es más egocéntrica, porque estamos anteponiendo nuestros propios intereses y estamos tratando de obtener algo para nosotros mismos. Se dice que la oración de acción de gracias está más dirigida a Dios, aun cuando sea en relación con los dones que Dios nos dio. Supuestamente, la oración de alabanza está por completo dirigida a Dios, independientemente de que hayamos o no recibido algo de Él.

Pero la cuestión es si la distinción nos ayuda a comprender qué es la oración. Lo importante respecto de la oración no es si se la clasifica como petición, acción de gracias o alabanza, sino si es una oración de esperanza o de poca fe.

La oración de poca fe nos hace aferrarnos a circunstancias particulares de la situación presente, a fin de ganar cierta seguridad. La oración de poca fe está repleta de deseos que claman por su inmediata satisfacción. Este tipo de oración está rodeada por un aura de ingenuidad navideña y aspira a la inmediata satisfacción de anhelos y deseos muy específicos. Cuando esta oración no es escuchada, es decir, cuando no obtenemos los dones que queríamos, hay decepción y hasta resentimiento y amargura.

Es comprensible, por lo tanto, que esta oración de poca fe conlleve una gran proporción de temor y ansiedad. Si rezas con poca fe por la salud, el éxito y el progreso, por la paz o por cualquier otra cosa, te quedas tan pegado al pedido concreto que sientes que te quedas afuera en un paraje helado cuando la respuesta esperada no llega. Incluso te dices a ti mismo: "¿Ves lo que te decía? De cualquier manera, no funciona."

Con esta oración de poca fe, es el carácter concreto de los deseos lo que elimina la posibilidad de la esperanza. En esta oración, buscas tener certezas acerca de lo incierto, y te dices que es mejor pájaro en mano que cien volando. Con esta oración, tu demanda tiene por objeto obtener aquello que pides, como puedas, en lugar de estar dirigida a la persona que puede o no transformar ese deseo en realidad. Las personas de poca fe rezan como niños que esperan que Papá Noel les traiga un regalo, pero que le temen tanto, que huyen ni bien tienen el regalo entre sus manos. Prefieren no tener nada más que ver con el anciano caballero de barba, nada más que recibir el obsequio. Toda la atención se concentra en el regalo y para nada en la persona que lo entrega. Cuando rezamos de esta manera, nuestra vida espiritual se reduce a una línea recta que apunta hacia aquello que deseamos.

Al estar tan ansiosos por arreglar nuestro propio futuro, quienes tenemos poca fe nos encerramos respecto de lo venidero. No tenemos paciencia con las promesas indefinidas y no tenemos fe en las situaciones imprevistas que el futuro nos depara. Por lo tanto, cuando rezamos con poca fe, rezamos sin esperanza. Asimismo, rezamos sin desesperanza, pues la desesperanza únicamente es posible para quien sabe lo que significa la esperanza.

La oración de poca fe es calculada en forma cuidadosa y hasta mísera, y se ve trastornada por cualquier riesgo. No hay peligro de desesperanza ni posibilidades de esperanza. Nos transformamos en enanitos en un mundo de objetos diminutos.

La enorme diferencia que hay entre la esperanza y el carácter anhelante se pone de relieve en el comentario de un estudiante que escribió: "Veo la esperanza como una actitud en la cual todo está abierto ante mí. No es que no piense en el futuro en esos momentos, sino que pienso en él de una manera totalmente diferente. Animarme a estar abierto a lo que venga a mí hoy, mañana, o de aquí a dos meses, o de aquí a un año: eso es la esperanza. Meterse en las cosas sin miedo, y sin saber cómo saldrán, seguir adelante, aun cuando algo no funcione la primera vez, tener fe en lo que estás haciendo: eso es vivir con esperanza."

Cuando vivimos con esperanza, no nos confunden las preocupaciones acerca de cómo serán satisfechos nuestros deseos. Entonces, también, nuestras oraciones no están dirigidas hacia el regalo, sino hacia aquel que lo entrega. Nuestras oraciones pueden seguir conteniendo la misma cantidad de deseos pero, en última instancia, no es una cuestión de que se haga realidad un deseo, sino de expresar una fe ilimitada en quien entrega todas las cosas buenas. Deseas que.... pero tienes fe en...

En la oración de esperanza, no se piden garantías, no se ponen condiciones y no se exigen pruebas. Esperas todo del otro, sin obligarlo de ninguna manera. La esperanza está basada en la premisa de que el otro da sólo lo que es bueno. La esperanza incluye una apertura por la cual esperas que se cumpla la promesa, aunque nunca sepas cuándo, dónde o cómo pueda suceder.

Tal vez, a la larga, no haya una mejor imagen para la oración de esperanza que la relación de confianza que une a un niño pequeño con su madre. Todo el día está pidiendo cosas, pero el amor que tiene por su madre no depende de que ella satisfaga todos esos deseos. Los niños pequeños saben que su madre hará sólo lo que sea bueno para ellos y, más allá de ataques ocasionales y unas pocas rabietas de corta duración si no consiguen lo que quieren, siguen convencidos de que, finalmente, su madre sólo hace lo que sabe que es bueno para ellos.

Cuando rezas con esperanza, igual puedes pedir muchas cosas concretas, como que haya buen tiempo o que recibas un mejor salario. Este carácter concreto hasta puede ser un signo de autenticidad. Porque, si sólo pides fe, esperanza, amor, libertad, felicidad, modestia, humildad, etc., sin concretarlas en la parte esencial de la vida cotidiana, probablemente no hayas incluido a Dios en tu vida real. Si rezas con esperanza, todos estos pedidos concretos son maneras de expresar tu fe ilimitada en Dios, que cumple todas las promesas, que no te ofrece sino cosas buenas, y que quiere compartir contigo la bondad y el amor.

Solamente si rezas con esperanza, puedes quebrar las barreras de la muerte. Porque ya no quieres saber qué sucede después de la muerte, cómo es exactamente el Cielo, o cómo ser eterno. No te dejes engañar por las fantasías según las cuales se cumplen todos tus deseos conflictivos en un porvenir de deseos transformados en realidad. Cuando rezas con esperanza, te inclinas hacia Dios, confiando plenamente en que Él es leal y cumple todas sus promesas.

Esta esperanza te brinda una nueva libertad que te permite ver la vida en forma realista, sin sentirte desanimado. Esta libertad se pone de relieve en las palabras de otro estudiante que escribió:

Esperanza significa seguir viviendo
en medio de la desesperación,
y mantenerse animoso
en la oscuridad.
Esperanza es saber que existe el amor,
es confiar en el mañana,
es irse a dormir
y volver a despertar
cuando sale el sol.
En medio de un ventarrón en el mar,
es descubrir tierra firme.
En los ojos del otro,
es ver que eres comprendido.

Siempre que quede esperanza,
habrá también oración...

Y serás sostenido
por las manos de Dios.

Así, toda oración de petición se transforma en una oración de acción de gracias y también de alabanza, precisamente porque es una oración de esperanza. En la oración esperanzada de demanda, le agradecemos a Dios por sus promesas y alabamos a Dios por su lealtad.

Nuestros numerosos pedidos simplemente se transforman en el modo concreto de decir que confiamos en la plenitud de la bondad divina. Siempre que rezamos con esperanza, ponemos nuestras vidas en manos de Dios. El temor y la ansiedad se esfuman, y todo lo que se nos da y todo lo que se nos niega no es más que un dedo que apunta en la dirección de la promesa oculta de Dios de que un día gozaremos del todo.

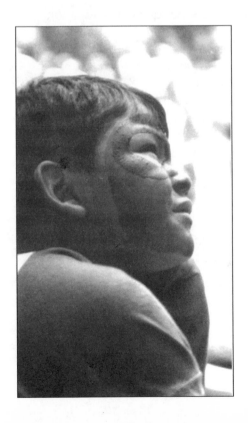

Querido Dios:

Estoy lleno de anhelos,
lleno de deseos,
lleno de expectativas.
Algunos se realizarán; muchos no, pero en
medio de todas mis satisfacciones y decepciones,
confío en ti.
Sé que nunca me dejarás solo
y que cumplirás tus promesas divinas.
Aun cuando parezca que las cosas
no siguen mi camino,
sé que siguen el tuyo
y que, finalmente,
tu camino es el mejor camino para mí.
¡Oh, Señor! Refuerza mi esperanza,
en particular cuando mis numerosos deseos
no se cumplen.
Nunca dejes que olvide que tu nombre es *Amor*.

Amén.

Pregunta para meditación:

¿Puede profundizarse y fortalecerse mi esperanza en Dios,
aun cuando mis numerosos deseos queden insatisfechos?

CUATRO

Oración y compasión

Si has de tener un futuro, será un futuro compartido con otros. Una oración de esperanza es una oración que te desarma y te despliega mucho más allá de los límites de tus propios anhelos. Por lo tanto, no se puede hablar de oración mientras se la considere como una actividad que excluye al prójimo. "Si alguno dice: Amo a Dios, y aborrece a su hermano, es un mentiroso", dice san Juan (1 Jn 4, 20). Y Jesús afirma: "No todo el que me diga: Señor, Señor, entrará en el Reino de los Cielos, sino el que haga la voluntad de mi Padre celestial" (Mt 7, 21).

La oración nunca puede ser antisocial o asocial. Cuando rezamos y dejamos afuera al prójimo, nuestra oración no es una verdadera oración. La verdadera oración, por su naturaleza misma, es socialmente significativa. Pero eso no es tan sencillo como parece. A menudo, la gente dice: "Sal y haz algo por los que sufren, en lugar de rezar por ellos." Si bien no hay muchos motivos para suponer que se hace tan poco por la gente que sufre porque se pierde mucho tiempo en rezar por ella, sí hay ciertas razones para preguntarse si la afirmación "Rezaré por ti" indica una genuina preocupación.

En el pensamiento de nuestro mundo moderno, activo, energético, la oración y la vida han llegado a estar tan alejadas que parece prácticamente imposible volver a conectarlas. Pero en ello radica el problema central: ¿Cómo puede nuestra oración ser verdaderamente necesaria para el bienestar de nuestros semejantes? ¿Qué queremos decir cuando afirmamos que siempre rezaremos y que rezar es "lo único necesario"?

La pregunta adquiere relevancia únicamente cuando se la formula en su forma más radical. La cuestión de cuándo o cómo rezar no es en realidad la pregunta más importante. La pregunta crucial es si tenemos que rezar siempre y si nuestra oración es necesaria. ¡Aquí, las apuestas son de todo o nada! Si decimos que es bueno volverse hacia Dios al rezar en un momento de ocio, o si aseguramos que una persona que tiene un problema hace bien en refugiarse en la oración, estamos llegando a admitir que la oración está al margen de la vida y no tiene verdadera relevancia.

Si creemos que rezar un poco no puede causar ningún daño, pronto descubriremos que tampoco puede hacer mucho bien. La oración únicamente tiene sentido si es necesaria e indispensable. La oración es verdaderamente oración cuando podemos decir que, sin ella, no podemos vivir. ¿Cómo puede ser cierto eso, o cómo se lo puede tornar cierto? La palabra que más nos acerca a una respuesta para esta pregunta es "compasión." Para entender esto, primero debemos analizar qué nos sucede cuando rezamos. Entonces, podremos comprender cómo podemos incluir al prójimo en nuestra oración.

A menudo, se dice que la oración es simplemente una expresión de impotencia. Es pedirle a otro aquello que no podemos hacer por nosotros mismos. Esto es cierto a medias. La persona que reza no sólo dice: "No puedo hacerlo y no lo entiendo." También afirma: "Por mí mismo, no tengo que poder hacerlo y, por mí mismo, no tengo que entenderlo." Cuando te detienes en la primera frase, a menudo rezas en medio de la confusión y la desesperación pero, cuando puedes agregar la segunda frase, ya no sientes tu dependencia como impotencia, sino como una alegre apertura hacia los demás.

Si enfrentas tu debilidad como una desgracia, podrás confiar en la oración únicamente en casos de extrema necesidad, y llegarás a considerar la oración como una obligatoria confesión de tu impotencia. Pero, si ves tu debilidad como aquello que te hace digno de amor, y si siempre estás preparado para sorprenderte del poder que el otro te adjudica, descubrirás a través de la oración que vivir significa convivir.

Una oración que te haga descorazonarte apenas puede llamarse oración. Porque te descorazonas cuando supones que debes poder hacer todo por ti mismo, que todo regalo que recibas del otro es una prueba de tu inferioridad y que sólo serás una persona completa cuando ya no tengas ninguna necesidad del otro.

Pero, con esta mentalidad, quedas fatigado y exhausto por los esfuerzos para demostrarte que puedes hacerlo solo, y cada fracaso se torna un motivo de vergüenza. Pierdes tu vivacidad y te vuelves amargado. Concluyes que los demás son enemigos y rivales que te han engañado. Entonces, te condenas a la soledad, porque percibes toda mano que se estira hacia ti como una amenaza a tu sentido del honor.

Cuando Dios le preguntó a Adán "¿Dónde estás?", Adán le respondió: "Estaba escondido" (cf. Gn 3, 9-10). Confesó su verdadera condición. Esta confesión lo abrió ante Dios. Cuando rezamos, salimos de nuestros refugios y no sólo vemos nuestra propia desnudez, sino que también vemos que no hay ningún enemigo del cual esconderse; sólo hay un amigo que no quiere sino taparnos con un nuevo abrigo. Seguro que rezar supone admitir algunas cosas. Es necesario el humilde reconocimiento de nuestra condición de incompletos seres humanos. Sin embargo, la oración no nos conduce a la vergüenza, a la culpa, o a la desesperación, sino más bien al jubiloso descubrimiento de que somos sólo seres humanos, mientras que Dios es verdaderamente Dios.

Si nos aferramos fuertemente a nuestra propia debilidad, a nuestros defectos, a nuestras fallas y a nuestro pasado retorcido, a todos los acontecimientos, hechos y situaciones que preferiríamos arrancar de nuestra propia historia, sólo nos estamos ocultando tras un vallado a través del cual cualquiera nos puede ver. Lo que hemos hecho es reducir nuestro mundo a un pequeño escondite adonde tratamos de ocultarnos, sospechando más bien penosamente que todo el mundo nos ha visto.

Rezar implica renunciar a una falsa seguridad, dejar de buscar argumentos que te protejan si te ponen contra la pared, dejar de depositar la esperanza en un par de momentos más luminosos que tal vez tu vida aún te pueda ofrecer. Rezar significa dejar de esperar de Dios la misma estrechez que encuentras en ti. Rezar es caminar en la plena luz de Dios y decir simplemente, sin contenerse: "Yo soy humano; tú eres Dios." En ese momento, se produce la conversión, la restauración de la verdadera relación. Un ser humano no es alguien que comete un error de vez en cuando, y Dios no es alguien que perdona una y otra vez. ¡No! Los seres humanos somos pecadores y Dios es amor. La experiencia de conversión torna esto evidente con una sencillez asombrosa y con una claridad cautivante.

Esta conversión te hace relajarte, te permite volver a respirar y te pone a descansar en brazos de un Dios que perdona. La experiencia termina en calma y simple júbilo. Para entonces, puedes decir: "No conozco la respuesta y no puedo hacer esto, pero no tengo que conocerla, y no tengo que poder hacerlo." Este nuevo conocimiento es la liberación que te da acceso a toda la Creación y te deja en libertad para disfrutar del jardín que está ante ti.

Cuando rezas, no sólo te descubres a ti mismo y descubres a Dios, sino que también descubres al prójimo. Porque, en la oración, no sólo profesas que las personas son personas y Dios es Dios, sino también que tu prójimo es tu hermana o tu hermano que vive a tu lado. Porque la misma conversión que te conduce al doloroso reconocimiento de tu malherida naturaleza humana, también te lleva a admitir con júbilo que no estás solo, sino que ser humano implica convivir.

Precisamente en este punto, surge la compasión. Esta compasión no queda cubierta por la palabra "pena" ni por "simpatía". "Pena" connota demasiado la idea de distancia. "Simpatía" implica una cercanía exclusiva. La compasión va más allá de la distancia y de la exclusividad.

La compasión crece con el reconocimiento interno de que tu prójimo comparte contigo tu humanidad. Este compañero derriba todos los muros que pueden haberte separado de él. A través de todas las barreras de tierras e idiomas, de la riqueza y la pobreza, del conocimiento y la ignorancia, somos uno, creados a partir del mismo polvo, sujetos a las mismas leyes y destinados al mismo fin. Con esta compasión, puedes decir: "Frente a los oprimidos, reconozco mi propio rostro y, en las manos de mi opresor, reconozco mis propias manos."

Su carne es mi carne; su sangre es mi sangre; su dolor es mi dolor; su sonrisa es mi sonrisa. Su capacidad de torturar también está en mí; su capacidad de perdonar también la encuentro en mí. No hay nada en mí que no les pertenezca también a ellos. No hay nada en ellos que no me pertenezca también a mí. En mi corazón, reconozco su deseo de amor, y en mis entrañas puedo sentir su crueldad. En los ojos del otro, veo mi pedido de disculpas, y en un ceño fruncido, veo mi rechazo. Cuando alguien asesina, sé que yo también podría haberlo hecho, y cuando alguien da a luz, sé que también soy capaz de ello. En las profundidades de mi ser, encuentro a mis semejantes humanos, con quienes comparto el amor y el odio, la vida y la muerte."

Compasión es animarse a reconocer nuestro destino recíproco, de manera que podamos avanzar, todos juntos, hacia la tierra que Dios nos está mostrando. La compasión también implica compartir en el gozo, lo cual puede ser tan importante como compartir en el dolor. Darles a otros la posibilidad de ser completamente felices, dejar que su júbilo florezca por completo. Ofrecemos verdadero consuelo y apoyo cuando podemos decir de corazón: "Eso es verdaderamente bueno para ti," o "Me alegra ver que lo hiciste."

Pero esta compasión es más que una esclavitud compartida con el mismo temor y los mismos deseos de ayuda, y más que un júbilo compartido. Porque, si tu compasión surge de la oración, emerge de tu encuentro con Dios, que es también el Dios de todos. En el momento en que descubres por completo que el Dios que te ama incondicionalmente ama a todos los seres humanos con el mismo amor, se te abre una nueva forma de vida. Porque llegas a ver con nuevos ojos a quienes viven junto a ti en este mundo. Te das cuenta de que ellos tampoco tienen razones para temer, que ellos tampoco tienen que esconderse detrás de un muro, que ellos tampoco necesitan armas para ser humanos. Descubres que el jardín interior del amor, que nadie ha cuidado en tanto tiempo, también es significativo para ellos.

Por lo tanto, la conversión hacia Dios implica, al mismo tiempo, una conversión hacia las otras personas que viven contigo en esta Tierra. El granjero, el trabajador, el estudiante, el preso, el enfermo, la persona negra, la persona blanca, el débil, el fuerte, el oprimido y el opresor, el paciente y aquel que cura, el torturado y el torturador, no sólo son personas como tú, sino que están llamadas a reconocer contigo que Dios es un Dios para todos.

La compasión deja de lado todas las pretensiones y, al mismo tiempo, elimina la falsa modestia. Te invita a comprender todo y a todos, a verte a ti mismo y a los demás a la luz de Dios, y a decirle con júbilo a toda persona con quien te encuentres que no hay razones para temer: la tierra está lista para ser cultivada y producir una rica cosecha.

Sin embargo, no es sencillo. Esto implica riesgos, dado que la compasión implica la construcción de un puente hacia los demás, sin saber si ellos quieren ser alcanzados. Tu hermana o hermano puede estar tan amargada o amargado como para no esperar nada de ti. Entonces, tu compasión despierta enemistad, y es difícil no deprimirte y decir: "¿Ves lo que te decía? De cualquier manera, no funciona."

Y aun así, la compasión es posible cuando sus raíces se hunden en la oración. Porque en la oración no dependes de tu propia fuerza, ni de la buena voluntad de otro, sino sólo de tu fe en Dios. Ésa es la razón por la cual la oración te da libertad para vivir una vida compasiva, incluso cuando ello no provoque una respuesta de agradecimiento o no produzca recompensas inmediatas.

Querido Dios:

A medida que me llevas más adentro de tu corazón,
descubro que mis compañeros de viaje
son mujeres y hombres
amados por ti tan plena e íntimamente como yo.
En tu corazón compasivo,
hay un espacio para todos ellos.
Nadie queda excluido.
Dame una parte de tu compasión, amado Dios,
para que tu amor ilimitado pueda tornarse visible
en el modo en que amo a mis hermanos y hermanas.

Amén.

Pregunta para meditación:

¿Cómo puedo reconocer en mi propio corazón
el sufrimiento de mis hermanas y mis hermanos?

CINCO

Oración y profetismo

A medida que tu vida se transforma cada vez más en una oración, no sólo obtienes un discernimiento más profundo de ti y de tu prójimo, sino que también desarrollas una sensibilidad para el pulso del mundo en que vives. Si verdaderamente estás rezando, no puedes dejar de tener preguntas críticas acerca de los grandes problemas que el mundo enfrenta, y no puedes evitar pensar que no sólo tú y tu prójimo necesitan una conversión, sino que toda la comunidad humana la requiere. La conversión del mundo demanda una sabiduría profética que se anime a cuestionar el mundo.

A primera vista, los términos "oración" y "cuestionamiento" parecen estar en extremos tan opuestos y provenir de mundos tan diferentes, que una combinación entre ellos probablemente genere una profunda frustración. Nos damos cuenta de que nuestro mundo necesita cambiar y de que ningún cambio se producirá jamás sin acción, pero a menudo nos sentimos perdidos cuando se trata de responder "cómo". Esta frustración es un buen lugar para comenzar pues, en la actualidad, quien está frustrado parece demandar más atención que quien reza.

La frustración que levanta en armas a tanta gente, que la confunde y la incita a protestar y manifestarse (o, como desafío, a no hacer nada o a refugiarse en un olvido causado por drogas) es un signo inequívoco de una insatisfacción profundamente arraigada hacia el mundo en que estamos obligados a vivir nuestras vidas. Algunos aspiran a recordarle a nuestra sociedad aquellos ideales de libertad y justicia que figuran en los libros, pero que son muy pisoteados en la práctica cotidiana. Otros han abandonado este esfuerzo y han llegado a la conclusión de que la única posibilidad que le queda a una persona de hallar paz y calma es retirarse de este mundo caótico. Se alejan disgustados de la sociedad y sus instituciones.

Haga uno lo que haga, ya sea que se transforme en un revolucionario o en un dócil soñador, ya sea que demande cambios estructurales o deje que todo siga igual con una sonrisa melancólica, el resentimiento se conserva, feroz y evidente o profundamente reprimido bajo una actitud de pasiva indiferencia. No es difícil distinguir entre todos estos fenómenos un profundo deseo de un mundo distinto. La sociedad tal como está actualmente debe cambiar, sus falsas estructuras deben desaparecer, y algo completamente nuevo debe tomar su lugar.

Algunos se meten a combatir con todas las energías que pueden reunir, mientras que otros esperan un nuevo mundo como si fuera una aparición que no pueden producir ellos mismos. Inclusive, otros intentan anticipar el futuro y se funden en un forzado mundo onírico de sonido, color y forma en el cual, al menos por un momento, pueden fingir que todo (y hasta ellos mismos) ya se ha transformado.

Lo que resulta más llamativo acerca de las actuales visiones del futuro del mundo es que en su mayor parte se han formado independientemente del pensamiento cristiano. Las voces que claman por una nueva era, por un nuevo orden, a menudo se escuchan por fuera de la tradición cristiana.

Y, sin embargo, sólo eres cristiano en la medida en que aspiras a un mundo nuevo, en la medida en que formulas preguntas críticas a la sociedad en que vives, y en la medida en que acentúas la necesidad de conversión, tanto para ti como para el resto del mundo. Sólo eres cristiano en la medida en que de ninguna manera te instales en una situación de aparente calma, en la medida en que estés disconforme con el *statu quo* y continúes diciendo que está por nacer un mundo nuevo. Sólo eres cristiano cuando crees que tienes un *rol* que desempeñar en la realización de este nuevo reino y cuando fomentas en quienes te rodean una santa inquietud para darse prisa, de manera que las promesas se puedan cumplir rápidamente. En la medida en que vives como un cristiano, sigues persiguiendo un nuevo orden, una nueva estructura, una nueva vida.

Como cristiano, es difícil ser indulgente con la gente que se queda parada a lo largo del camino, pierde el coraje y busca su felicidad en los pequeños placeres a los que se aferran. Te irrita ver cosas establecidas e instaladas, y toda esta autoindulgencia y esta autosatisfacción te entristecen, porque sabes, con un grado de certeza indestructible, que se acerca algo más grande, y ya has visto los primeros rayos de luz. Como cristiano, no sólo sostienes que este mundo se acabará, sino que debe acabar para permitir el nacimiento de un nuevo mundo, y que nunca habrá un momento en esta vida en el cual puedas descansar con la seguridad de que no hay nada más que hacer.

¿Pero hay algún cristiano? Si tienes la impresión de que el cristianismo hoy en día está fallando en su función de liderazgo espiritual, si parece que la gente busca el sentido del ser y del no-ser, del nacimiento y de la muerte, del amar y del ser amado, del ser joven y del envejecer, del dar y del recibir, del herir y del ser herido, y no espera respuesta alguna de parte de los testigos de Jesucristo, empiezas a preguntarte hasta qué punto estos testigos deberían llamarse cristianos.

El testigo cristiano es un testigo crítico, porque el cristiano sostiene que el Señor retornará y hará nuevas todas las cosas. La vida cristiana demanda cambios radicales, pues el cristiano toma una distancia crítica respecto del mundo y, más allá de todas las contradicciones, sigue sosteniendo la posibilidad de un nuevo estilo de ser humano y una nueva paz. Esta distancia crítica es un aspecto esencial de la verdadera oración.

No es tanto una cuestión de convertir al cristiano en un activista, como de estar dispuesto a reconocer, en el profeta contemporáneo que desafía al *statu quo*, las auténticas características de Cristo. Porque puede ser que, en esta persona que no hace las paces con el mundo y que se dedica por completo a luchar por un futuro mejor, una vez más podamos encontrar a quien dio su vida por la liberación de muchos.

¿Cuáles son los rasgos distintivos de los verdaderos profetas? Cuando los buscamos, debemos entender que estas características nunca serán perfectamente evidentes en una persona sola. Siempre es una cuestión de huellas o muescas en un árbol, que nos hacen sospechar que alguien que vale la pena conocer ha pasado por ahí.

¿Quiénes son estos revolucionarios? Los profetas críticos son personas que atraen a los demás a través de su poder interior. Quienes los conocen quedan fascinados por ellos y quieren saber más. Todos los que entran en contacto con ellos tienen la irresistible sensación de que sacan su poder de alguna fuente oculta que es fuerte y rica. De ellos proviene una liberación interior, que les brinda una independencia que no es altanera ni indiferente, pero que los capacita para sobreponerse a las necesidades inmediatas y más imperiosas.

A estos profetas críticos los conmueve lo que sucede a su alrededor, pero no dejan que esto los oprima ni los destroce. Escuchan con atención, hablan con serena autoridad, sin apurarse ni excitarse. En todo lo que dicen y hacen, parece que hubiera una viva visión ante ellos, que aquellos que los escuchan pueden sospechar, pero no ver. Esta imagen orienta sus vidas. La obedecen. A través de ella, saben cómo distinguir lo que es importante de lo que no lo es. Muchas cosas que parecen de una inmediatez cautivante, apenas los agitan, y les dan gran importancia a algunas cosas que los demás simplemente dejan pasar.

Como cristianos críticos, no son insensibles a lo que motiva a los demás, sino que evalúan lo que ven y escuchan a su alrededor, a la luz de su propia visión. Están felices y contentos de que haya gente que los escucha, pero no salen a formar grupos alrededor de ellos mismos. No se forman camarillas a su alrededor porque ellos no se apegan exclusivamente a ningún ser humano. Lo que dicen y hacen está rodeado por una aureola convincente e incluso por una verdad evidente, pero ellos no imponen sus opiniones a nadie ni se molestan cuando alguien no adopta sus opiniones o no hace lo que ellos quieren.

En todo, parecen tener en mente un objetivo concreto y vivo: la realización de lo que tiene importancia vital. Así, a la luz de este objetivo, se conserva una gran libertad interior. A menudo, parecen saber que nunca verán alcanzado su objetivo y que sólo ven la sombra del mismo. Pero tienen una notable autonomía del curso de sus propias vidas. Son cuidadosos y cautos, por cierto no son imprudentes, y sin embargo resulta que consideran sus propias vidas como de importancia secundaria. No viven para mantener el *statu quo*, sino para crear un nuevo mundo, trazar las líneas fundamentales de lo que ven y de lo que los atrae tanto que ni siquiera el miedo a la muerte ejerce un poder decisivo sobre ellos.

Pero también está claro que la gente siente tanto rechazo como atracción hacia estos profetas críticos. La ofensa que se genera es una realidad tan significativa como la atracción desplegada. Precisamente, tener tanta libertad respecto de cosas que muchos otros sostienen como inmodificables constituye una amenaza. Su manera de hablar y de vivir relativiza permanentemente los valores sobre los cuales muchos de nosotros construimos nuestras vidas. Sentimos la punzante profundidad del mensaje de los profetas y vemos las consecuencias por nosotros mismos siempre que podamos garantizar su veracidad.

Una y otra vez, cuando estos profetas están entre nosotros, sabemos que la realidad en la que viven es también la realidad que nosotros mismos esperamos, pero que parece exigir tanto. Para defender nuestra tranquilidad de conciencia y para no vernos más perturbados en nuestro "seguro" estilo de vida, hallamos necesario callar a quienes atentan contra nuestra felicidad artificial.

Por lo tanto, las personas que proclaman un nuevo mundo y hacen tambalear el viejo mundo, se convierten en ocasión para una asfixiante opresión en las manos de esos mismos que se creen los protectores del orden y los defensores de la paz y la calma. Para quienes quieren mantener la calma y el orden en el mundo actual, estos visionarios desenmascaran la ilusión de la época y se transforman en agitadores insoportables. Las agresiones que se fomentan contra ellos, en general, terminan en la incomunicación, con todos los medios que el orden prevaleciente tiene a su disposición.

Esto puede comenzar con una negativa al mensaje de ellos, seguir con ataques verbales, y terminar en el encierro e, inclusive, en la ejecución. Pero, si estos profetas críticos son creíbles y auténticos, ni siquiera la muerte pone fin a su voz. Quienes los matan descubren a menudo, para su sorpresa y horror, que sólo consiguieron despertar a muchos otros y que la demanda de un nuevo mundo se ha vuelto aun más fuerte.

A partir de esta descripción, nadie en nuestro ambiente puede ser reconocido como profeta crítico. Los nombres que podríamos ofrecer no aportan más que pequeños rastros del verdadero profeta. Y además hay que decir que, cuando abrimos los ojos y buscamos a los visionarios, los hallamos entre los miles que conocemos durante nuestras vidas. A veces en forma apenas vagamente reconocible, a veces en forma innegablemente evidente pero no del todo, se tornan visibles para aquellos que quieren ver.

Podemos encontrar al visionario en el guerrillero, en la juventud con el letrero de manifestación, en el tranquilo soñador en el rincón de un café, en el monje de voz suave, en el sumiso estudiante, en la madre que deja que su hijo siga su propio camino, en el padre que le lee a su hijo un libro extraño, en la sonrisa de una niña, en la indignación de un trabajador, en toda persona que, de una u otra forma, extrae vida de una visión que se ve brillar adelante y que sobrepasa todo lo visto u oído.

¿Qué tiene que ver esto con la oración? Rezar significa correr el velo de la existencia y dejarte guiar por la imagen que se ha vuelto real para ti. Como quiera que llamemos a esta imagen ("la Realidad invisible", "el Otro total", "el Espíritu", "el Padre"), repetimos una y otra vez que no somos nosotros mismos quienes tenemos el poder de hacer que la nueva creación se realice. Es más bien un poder espiritual que nos fue dado y que nos faculta para estar en el mundo sin ser de él.

La persona que reza contempla el mundo con compasión, tiene acceso a un sentido oculto y lo conduce a una conversión siempre más profunda.

A menudo, usamos el término *Dios*. Esta palabra puede sugerir algo fascinante al mismo tiempo que algo horrible, atractivo al mismo tiempo que repulsivo, seductor al mismo tiempo que peligroso, totalmente absorbente al mismo tiempo que nutritivo. Es como el Sol: sin el Sol, no puede haber vida; pero, si nos acercamos demasiado a él, nos quemamos. Sin embargo, el cristiano cree que Dios no es "algo", sino una persona que es el Amor, el Amor perfecto. El cristiano sabe que es posible entrar en un diálogo con este Dios amoroso y así empezar a renovar la Tierra. Rezar, por lo tanto, es la actividad más crítica de la que somos capaces pues, cuando rezamos, nunca estamos satisfechos con el mundo del aquí y ahora, y permanentemente estamos luchando por realizar el nuevo mundo, cuyas primeras vislumbres ya hemos alcanzado.

Cuando rezas, te abres a la influencia del Poder que se ha revelado como Amor. Ese Poder te da libertad e independencia. Una vez tocado por este Poder, ya no te inclinas para un lado y para el otro en función de las incontables opiniones, ideas y sensaciones que te pasan por la cabeza. Has encontrado un centro para tu vida, un centro que te otorga una distancia creativa para que todo lo que ves, oyes y sientes pueda ser probado nuevamente en su origen.

Cristo es el único, Aquel que de la manera más reveladora dejó claro que rezar significa participar del poder de Dios. Por medio de este poder, dio vuelta a su mundo. Liberó a una cantidad enorme de hombres y mujeres de las cadenas de su existencia, pero también despertó la agresión que lo llevó a la muerte. Cristo, que es completamente humano y completamente divino, nos ha demostrado qué significa rezar. En Él, Dios se hizo visible para la caída y la elevación de muchos.

Rezar es un asunto profético porque, una vez que comienzas, pones toda tu vida en la balanza. Si realmente te pones a rezar, es decir, si verdaderamente llegas a la realidad de lo invisible, debes darte cuenta de que te estás atreviendo a expresar una crítica de lo más fundamental, una crítica que algunos ansían pero que será demasiado para muchos otros.

Rezar, por lo tanto, implica estar constantemente dispuesto a liberarte de tu certeza y a ir más allá de donde estás actualmente. Exige que abandones tu casa y tomes el camino una y otra vez, y que siempre busques una nueva tierra, para ti y para los demás. Ésta es la razón por la cual la oración requiere de pobreza, es decir, estar dispuesto a vivir una vida en la cual no tienes nada que perder y siempre puedes vivir renovado. Cuando eliges esta pobreza en forma voluntaria, te vuelves vulnerable, pero también te liberas de ver al mundo y de dejar que éste se muestre a sí mismo en su verdadera forma. No tienes necesidad de defenderte. Puedes proclamar en voz alta lo que has aprendido a través de tu íntimo contacto con Dios, que es fuente de toda vida.

Pero esto requiere coraje. Si vas a transformar en realidad todas las consecuencias de una vida de oración, bien podrías asustarte y preguntarte si puedes asumir los riesgos. En esos momentos, es fundamental recordar que también el coraje es un don de Dios, y que puedes pedirlo en la oración con palabras como éstas:

Querido Dios:

Dame el coraje para vivir y trabajar
por un nuevo Cielo y una nueva Tierra,
tal como lo hizo Jesús.
Dame la libertad para cuestionar
cuando vea algo malo
y para ofrecer plegarias cuando vea algo bueno.
Sobre todo, hazme leal
a la visión que me diste,
para que, vaya donde vaya y con quien sea
que me encuentre,
pueda ser una señal de tu amor, siempre renovador.

Amén.

Pregunta para meditación:

¿Cómo puedo anunciar mi llamado a renovar
el mundo en el nombre de Jesús?

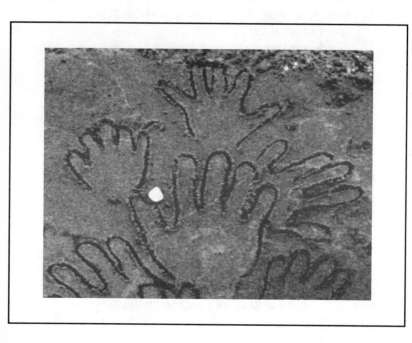

CONCLUSIÓN

Con las manos abiertas

Rezar significa abrir las manos ante Dios. Implica relajar lentamente la tensión que oprime tus manos juntas y aceptar tu existencia con una predisposición cada vez más favorable, no como una posesión que hay que defender, sino como un don que hay que recibir.

Ante todo, la oración es un estilo de vida que te permite encontrar una tranquilidad en medio del mundo, en la cual abres tus manos a las promesas de Dios y encuentras esperanzas para ti, para tu prójimo y para tu mundo.

En la oración, encuentras a Dios no sólo en la suave voz y en la suave brisa, sino también en medio de la agitación del mundo, en la congoja y en el júbilo de tu prójimo y en la soledad de tu propio corazón.

La oración te lleva a ver nuevos caminos y a oír nuevas melodías en el aire. La oración es el aliento de tu vida que te da libertad para ir y quedarte donde quieras, así como para descubrir los numerosos signos que te indican el camino hacia una nueva tierra.

Rezar no es sólo un compartimento necesario dentro del cronograma diario de un cristiano ni una fuente de apoyo en épocas de necesidad, ni está restringido a los domingos a la mañana o a la hora de la comida. Rezar es vivir. Es comer y beber, acción y descanso, enseñar y aprender, jugar y trabajar. La oración penetra en todos los aspectos de nuestras vidas. Es el reconocimiento permanente de que Dios está allí donde estamos nosotros, invitándonos siempre a acercarnos y a celebrar el divino regalo de estar vivos.

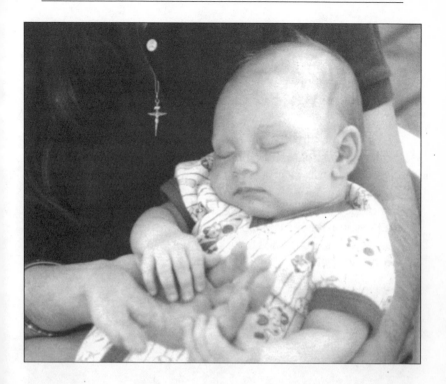

Finalmente, una vida de oración es una vida con las manos abiertas, en la cual no nos avergonzamos de nuestra debilidad, sino que nos damos cuenta de que para nosotros es mejor ser guiados por el Otro que conservar todo en nuestras propias manos.

Únicamente en este estilo de vida tiene sentido una oración vocal. Una oración en la iglesia, en la mesa, o en la escuela, es sólo un testimonio de lo que queremos hacer de toda nuestra vida. Esa oración nos recuerda que rezar es vivir y nos convoca a hacer de esto una realidad siempre mayor.

Hay tantas formas de rezar como momentos hay en la vida. A veces, buscamos un momento tranquilo y queremos estar solos; a veces, buscamos a un amigo y queremos estar acompañados. A veces, nos gusta un libro; a veces, optamos por la música. A veces, queremos cantar con cientos de personas; a veces, sólo queremos susurrar con unos pocos. A veces, queremos decirlo en palabras; a veces, con un profundo silencio.

En todos estos momentos, gradualmente inclinamos nuestras vidas más hacia la oración y abrimos las manos para ser guiados por Dios, inclusive hacia sitios a los que preferiríamos no ir.

Querido Dios:

No sé hacia dónde me estás guiando.
Ni siquiera sé cómo será mi próximo día,
mi próxima semana, o mi próximo año.
Al intentar mantener mis manos abiertas,
confío en que pondrás tu mano en la mía
y me conducirás a casa.
Gracias, Dios, por tu amor.
Gracias.

Amén.

Pregunta para meditación:

¿Confío plenamente en que, si Dios está a mi lado,
encontraré mi verdadero hogar?

HENRI NOUWEN.
UNA INCANSABLE BÚSQUEDA DE DIOS
Jurgen Beumer

"¿Cómo puedo escribir un libro acerca de alguien con quien compartí muchos años, que es amigo mío? ¿Es posible mantener la distancia necesaria? En un principio, creía que podría trazar un retrato significativo de Henri Nouwen solamente a partir de sus libros. Después de todo, no es necesario conocer a alguien personalmente para poder escribir acerca de esa persona. Por otra parte, también puede ser una ventaja conocerlo. A  lo largo de nuestra amistad de más de quince años, he seguido paso a paso a Henri Nouwen y sus libros. Conozco los temas, y creo que conozco la pasión de su corazón.

(...)

Este libro estaba terminado pero no estaba aún en imprenta cuando Henri Nouwen falleció, en forma súbita y completamente inesperada, el sábado 21 de septiembre de 1996, en su tierra natal, los Países Bajos. Lo despedimos el 24 de septiembre en una eucaristía en la catedral de Santa Catarina de Utrecht. El sábado 28 de septiembre de 1996, fue enterrado en Toronto."

(fragmentos del Prefacio)

LA BIOGRAFÍA ESPIRITUAL DE HENRI NOUWEN

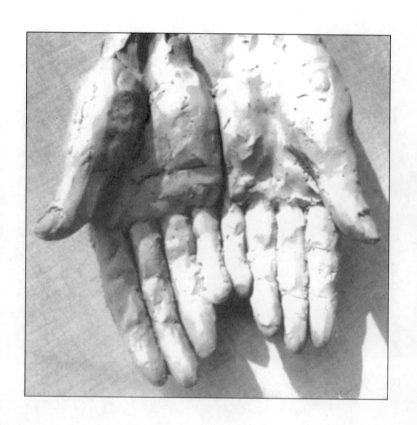

Se terminó de imprimir en el mes de julio de 2001
en el Establecimiento Gráfico **LIBRIS S. R. L.**
MENDOZA 1523 • (B1824FJI) LANÚS OESTE
BUENOS AIRES • REPÚBLICA ARGENTINA